Régine

NICOLAS MAZELLIER

POUR QUOI?

NICOLAS MAZELLIER

POURQUOI?

Au cœur des ruines de l'hôtel Montana

à Port-au-Prince, le 12 janvier 2010

Médiaspaul reconnaît l'aide financière du Gouvernement du Canada par l'entremise du Programme d'aide au développement de l'industrie de l'édition (PADIÉ), du Conseil des Arts du Canada et de la Société de développement des entreprises culturelles du Québec (SODEC) pour ses activités d'édition.

Canada Council
for the Arts

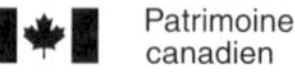

Canadian
Heritage

Société
de développement
des entreprises
culturelles
Québec

Éditions Anne Sigier est une marque de Médiaspaul Inc. depuis juillet 2009.

Catalogage avant publication de Bibliothèque et Archives nationales du Québec
et Bibliothèque et Archives Canada

Mazellier, Nicolas

Pourquoi?: au cœur des ruines de l'Hôtel Montana à Port-au-Prince, le 12 janvier 2010

Comprend des références bibliographiques

ISBN 978-2-89129-570-3

1. Tremblement de terre d'Haïti, Haïti, 2010. 2. Mazellier, Nicolas. 3. Souffrance – Aspect religieux. 4. Espérance – Aspect religieux. I. Titre.

F1928.2.M39 2010 972.9407'3 C2010-941310-5

ISBN 978-2-89129-570-3

Dépôt légal — 2e trimestre 2010
Bibliothèque et Archives Canada
Bibliothèque et Archives nationales du Québec

3965, boul. Henri-Bourassa Est
Montréal, QC, H1H 1L1 (Canada)
www.annesigier.qc.ca
mediaspaul@mediaspaul.qc.ca

Imprimé au Canada - Printed in Canada

Aux deux Anne,
à tous ces morts,
au peuple haïtien

Qu'y a-t-il d'étrange à ce que tu ne comprennes pas?
Si tu comprends, ce n'est pas Dieu!

SAINT AUGUSTIN

Le monde ne saurait changer de face
(et il faut qu'il change) sans qu'il y ait douleur.

FRANÇOIS-RENÉ DE CHATEAUBRIAND

Dieu, en quelque sorte,
nous associe à Sa capacité créative
en nous chargeant de conduire, avec Lui,
un univers inachevé et imparfait
vers son achèvement et sa plénitude.

Mgr BERNARD HOUSSET
Évêque de La Rochelle et Saintes

Puisqu'il s'attache à moi, je le délivre;
je le défends, car il connaît mon nom.
Il m'appelle, et moi, je lui réponds;
je suis avec lui dans son épreuve.

Psaume 91, 14-15 ab

Ma rencontre avec Nicolas Mazellier

La catastrophe du 12 janvier 2010 en Haïti a traumatisé le monde entier, et très vite les médias nous ont montré cette immense souffrance d'un peuple courageux, d'un peuple qui croit en Dieu.

Le bruit, les cris, les visages, la peur, la mort... toutes ces morts... hanteront pour longtemps la mémoire et le cœur.

« Nicolas Mazellier est resté prisonnier, coincé sous une poutre de béton et sous les gravats de l'hôtel Montana, durant 17 heures », écrivait Simon Boivin dans *Le Soleil* du 20 janvier.

J'avais lu cette information. Je ne connaissais pas Nicolas Mazellier.

Nous nous sommes rencontrés lors de l'anniversaire d'un ami commun au début du mois de mars.

Un bonjour, peu de mots. J'étais étonnée devant le mystère de son regard : cet homme était habité d'une émotion intense et silencieuse. Sa discrétion sur ce qu'il avait vécu à Port-au-Prince me touchait. Il était encore « là-bas », au cœur des morts et des ruines.

Quelques jours plus tard, je lui ai écrit et je l'ai encouragé à mettre des mots sur ce tremblement de terre, sur ce tremblement de tout l'être, à prolonger sa méditation en faisant vivre son désir d'écrire. Bien sûr, s'il se sentait libre de le faire.

Très vite j'ai reçu ce texte. Je l'ai lu d'un seul trait.

Ce témoignage m'a bouleversée.

En lisant ce récit, j'ai découvert le drame, j'ai réalisé l'immense douleur physique et morale de Nicolas Mazellier. Mais j'ai été particulièrement touchée de constater que, malgré ce choc effroyable, sa foi n'avait pas craqué elle aussi sous les cinq étages de l'hôtel Montana. En lisant ce récit, j'ai découvert que cette foi était greffée depuis toujours sur le Vivant !

Au cœur des ruines, ce 12 janvier, Nicolas voyait la mort venir. Il était persuadé que ses cris ne seraient pas entendus. L'angoisse, la douleur de son corps coincé sous cette poutre, la souffrance de ne jamais revoir son épouse et son fils, étaient son cri. Il partait seul dans le silence...

Seul ? Non ! Il le partage pour nous : son tombeau est devenu lieu de rencontre intime avec Dieu, qui ne l'a pas quitté un instant. Et cette mort attendue, et accompagnée, a mis au monde ces mots bouleversants qui répondent aujourd'hui à nos nombreux « pourquoi ».

Sans aucun souci de vouloir convaincre, mais en toute humilité et avec une vibrante vérité, l'auteur partage sa réflexion devant cet événement de mort et de vie. Son message pourrait, je le pense, donner sens à toutes les souffrances du monde.

Je remercie vivement Nicolas Mazellier pour ces mots « ressuscités », si généreusement partagés et mis au monde dans la « Présence » qui l'habite.

ANNE SIGIER

Témoin d'une Présence

Pourquoi cette nécessité de voir courir ma plume sur ces pages blanches? Pourquoi ce besoin de faire ressortir ces souvenirs pourtant si présents? Pourquoi vouloir écrire, vouloir partager? Probablement pour soulager ce poids, la présence de ces heures interminables, cette tristesse de chaque instant. Une tristesse qui s'apaisera un jour.

Mon ambition n'est pas d'écrire pour écrire. D'autres ont déjà raconté mieux que moi. Ils ont dit les souffrances, les ruines, l'angoisse d'Haïti. Ils ont vu ces plaies, ces cicatrices, ces larmes dans les rues de Port-au-Prince. Ils ont entendu les pleurs et le chant des prières. Moi, j'ai vu le ciel et j'ai entendu le silence. Écrire ces lignes me permet de revoir ce ciel et d'entendre à nouveau ce silence. D'entrer à nouveau dans ce dialogue intime qui révèle le sens de l'existence humaine.

Ce que j'ai vécu le 12 janvier 2010 en Haïti est en définitive d'une grande banalité. C'est une expérience humaine de la souffrance et de la solitude, une confrontation avec la violence de la nature parmi tant d'autres. Tellement d'autres. Mais aussi une expérience humaine qui permet de saisir, à travers notre fragilité, les perspectives infinies de l'Esprit.

Habitués que nous sommes à passer d'un drame à un autre sans en garder de traces, dans la mesure où ils ne nous atteignent pas dans ce que nous avons de plus cher, nous traversons la vie entourés par la souffrance de l'humanité, mais protégés par l'intime conviction que rien ne peut nous atteindre. Ce « cela n'arrive qu'aux autres ! » que nous prononçons seulement quand ça nous est arrivé. Ces certitudes statistiques. Cette protection imaginaire. Notre incapacité à concevoir qu'un jour nous puissions être acteurs d'un drame immense.

D'ailleurs, France Pastorelli a écrit, dans *Servitude et grandeur de la maladie* : « Elle est tellement ancrée en nous, cette impossibilité de nous identifier avec le malheur, qu'il en persiste encore quelque chose quand il nous atteint, puisque même alors nous ne le réalisons jamais dans toute son étendue et nous ne le percevons tout d'abord qu'à l'extérieur de notre être. Un peu comme le choc d'une lame sur une armure dont nous serions revêtus.» Un peu comme le tremblement improbable d'une terre étrangère.

Aujourd'hui encore, il m'est difficile de concevoir que j'étais bien là-bas ce jour-là. Que j'étais, certes, un parmi des milliers d'autres, mais que j'étais bien un d'entre eux. Que c'est arrivé. Que cela m'est arrivé. Que la terre a tremblé sous mes pieds. Que l'immeuble dans lequel je me trouvais s'est effondré sur moi. Que j'en ai été prisonnier durant de si longues heures. Que j'en suis ressorti vivant. Que je serai marqué toute ma vie par cet événement.

Deux ou trois jours après mon arrivée à l'Hôpital du Sacré-Cœur de Montréal, j'ai rencontré l'abbé Julien Faucher, qui exerce son ministère auprès des malades. Je garde peu de souvenirs précis de cette rencontre. Mais il me reste la certitude que j'ai eu en face de moi, pendant quelques minutes, un de ces amis de Dieu que l'on ne fréquente pas sans conséquence. En parlant d'eux, Élisabeth de Miribel a écrit: «Un jour, une étincelle du feu qui les consume finit par vous atteindre et vous brûler le cœur.»

Montréal, 9 février 2010

Cher Nicolas,

Pourquoi êtes-vous vivant ? Pourquoi, y a-t-il eu tant de morts ? Pourquoi les catastrophes ? Pourquoi les accidents ? Pourquoi ?

Sur les plages de Normandie, lors du débarquement des Canadiens à la fin de la Seconde Guerre mondiale, à travers ces nombreux morts, pourquoi certains sont-ils sortis vivants de cet enfer ? Pour rapporter ces événements. Pour témoigner des événements tragiques, pour dire au monde les petits gestes gratuits posés entre soldats et qui ont fait la différence dans ces événements.

Mon cher Nicolas, ne vous demandez pas pourquoi vous avez survécu, mais le fait d'être vivant irradie sur les personnes qui vous entourent et vous aiment.

Dans une catastrophe de cette ampleur, les survivants demeurent pour plusieurs des PHARES pour redonner courage à tous. Comme le marin en pleine mer qui affronte les vents contraires, le phare donne l'espoir de se battre afin de témoigner de sa lutte pour sa survie.

Vous ne pouvez saisir pleinement, cher Nicolas, l'importance de votre survie. Certains diront de vous « le miraculé ». Lorsque Jésus était sur terre, Il n'a pas guéri tous les malades, mais ceux qui étaient guéris ont eu la mission de témoigner des merveilles de Dieu.

Cher Nicolas, rétablissez votre corps, Dieu se charge de rétablir votre intérieur. Vos « pourquoi » deviendront des tremplins pour vous et pour vos proches. Par vos paroles, vous aiderez les autres à cicatriser la plaie béante de cette catastrophe et vous deviendrez l'un des témoins privilégiés de cet événement.

Vous n'êtes pas plus ni moins que tous les survivants. Vous êtes, cher Nicolas, un TÉMOIN. *Souvenez-vous du prophète Jérémie: «Non, Seigneur, je ne sais pas parler comme un prophète.» Et Dieu de lui répondre: «C'est moi qui parlerai à travers vous.»*

Cher Nicolas, la cicatrice de l'événement est à jamais en vous, mais un jour, cette douleur deviendra la source vive qui alimentera votre raison de vivre après cet événement.

Comptez sur ma prière de chaque jour.

JULIEN FAUCHER, prêtre

Plus tard, M. Denis Bouchard, du comité missionnaire de la paroisse Saint-Jean-Baptiste de Québec, m'écrira: «Si vous avez survécu à cet événement, c'est sûrement grâce à votre espérance en ce Dieu sauveur qui vous a re-choisi en ce 12 janvier pour devenir un ambassadeur de la Parole.» Pourquoi aurais-je été «re-choisi», moi, et pas tous ces autres? Pourquoi?

Mais Paul VI l'avait bien dit: «L'homme contemporain a besoin de témoignages plus que d'arguments.»

Alors, témoignons! Que faire d'autre? Être un instrument au service de l'espérance.

Voici le récit d'une vie, bien présente, fragile, à jamais bouleversée par des questions sans réponse, bouleversée par une rencontre intime avec la mort et avec la Vie, éclairée par une lumière nouvelle, par une volonté de porter du fruit, de témoigner. « Mon Dieu, aidez-moi à renouveler la face de ma vie, à ne point être ce figuier stérile que vous avez maudit », écrivait encore France Pastorelli.

Tenter de trouver les mots. De dire cette angoisse. De saisir cette lueur de l'espérance. De témoigner de Sa Présence. Essayer de faire naître en moi le sens profond de cette tragédie.

J'ai conscience qu'il est un peu particulier, rare, dans nos sociétés occidentales, que quelqu'un se lève pour témoigner de sa foi en Dieu. Pour Lui dire son attachement à travers un drame. J'y vois même une sorte de défi, de provocation.

Mais la vérité est là. C'est bien ce que j'ai vécu. L'approfondissement de ma foi a été rendu possible, accéléré, par la souffrance. Pas seulement par la souffrance physique. Aussi par la violence subie, par l'impuissance endurée, par la solitude supportée.

Quand j'ai crié vers toi, Seigneur,
mon Dieu, tu m'as guéri;
Seigneur, tu m'as fait remonter de l'abîme
et revivre quand je descendais à la fosse.

Avec le soir viennent les larmes,
mais au matin, les cris de joie!
Tu as changé mon deuil en une danse,
mes habits funèbres en parure de joie!

Que mon cœur ne se taise pas,
qu'il soit en fête pour toi;
et que sans fin, Seigneur, mon Dieu,
je te rende grâce!

Psaume 30[1]

Savoir, au plus profond, qu'Il m'a fait *remonter de l'abîme*. Oui, *au matin les cris de joie*. Être convaincu que cette nuit de larmes peut prendre fin à la lumière du matin. Mon cœur ne peut se taire.

1. Version liturgique AELF, Paris, 1980.

I – La mort comme issue silencieuse

« Non! maman! » Ce n'était, pour moi, que dans les films que les hommes, souvent des soldats, appelaient leur maman alors que la mort s'apprêtait à les saisir.

Mais non! Quand le sol s'est dérobé sous mes pieds, c'est bien ma maman que, moi aussi, j'ai appelée à l'aide. Je n'étais pas dans un film. Ma chambre, l'hôtel tout entier, s'effondraient. Il n'y avait pas de retour en arrière possible. Impossible d'arrêter la scène. Saisir en un instant le sens de l'adjectif « inéluctable ».

Une ou deux secondes avant, j'étais dans le passé, incapable de réaliser exactement le présent. Maintenant, je vivais dans le futur, essayant de prévoir, de concevoir, la suite des événements.

Ai-je marché ou couru vers la grande fenêtre donnant sur le balcon de ma chambre? Je ne le sais pas. Ce que je me rappelle clairement, c'est la vision d'un paysage flou qui défile comme si j'étais dans un ascenseur donnant sur l'extérieur. Le sol, les murs, le plafond, moi, tout descend en même temps à une vitesse folle. La vitre éclate et je revois tout ce verre suspendu dans les airs, ne pouvant tomber au sol puisque le sol lui-même tombe.

La chute de l'immeuble prend fin. Je suis projeté à terre, comme si quelqu'un me poussait violemment. Les murs et le plafond s'effondrent sur moi. Le verre finit sa course immobile. Ma tête est heurtée par du béton. Déjà prisonnier des décombres, je continue pourtant à être secoué comme un pantin désarticulé. Enfin, le déferlement s'éloigne, la terre cesse de trembler. Difficile de concevoir qu'elle puisse trembler à ce point. Qu'une telle énergie, qu'une telle violence puissent être là, tapies sous nos pieds, et jaillir.

Durant ces quelques secondes, après l'appel à l'aide lancé à travers les mers à ma maman, deux idées ont dominé mes pensées. La première, c'est que je n'étais pas tout seul à vivre ce qui était en train de se passer. Je n'étais pas seul dans cet hôtel qui ne serait bientôt qu'un tas de ruines. Je n'étais pas seul à Port-au-Prince qui resterait à jamais marqué par ce séisme. D'autres, beaucoup d'autres, vivaient la même angoisse en même temps que moi. D'autres, beaucoup d'autres, lançaient à leur maman les mêmes appels à l'aide.

La seconde, c'est que j'allais mourir. Là, à Port-au-Prince, ce 12 janvier 2010. Tout était fini. Mon chemin s'arrêtait ici, à cet instant, à cet endroit. Il n'y avait plus rien à faire. C'était ainsi, un peu ridicule, absurde. Tout ça pour finir comme ça. Oui, j'ai eu le temps de me dire que c'était un peu bête d'être venu mourir en Haïti. Que seulement quelques minutes avant, j'étais encore à l'extérieur.

Il était bien évident que je ne ressortirais pas vivant de ce que j'étais en train de vivre. J'allais mourir dans les prochaines secondes, lorsque le bâtiment aurait fini de tomber. La violence à laquelle je faisais face était telle que seule la mort y mettrait fin. Mon impuissance était telle que seule la mort pouvait en être l'issue.

Et pourtant, je vivais. Je voyais tous ces gravats tournoyer autour de moi. Je sentais cette odeur de pierres entrechoquées. Je goûtais à cette poussière de béton qui m'envahissait la bouche. Je touchais à ma vie qui prenait fin. Mais je n'entendais rien. Pas un son. Tout se passait en silence. C'était trop pour mon corps et mon esprit. Mon ouïe s'était mise en veille. Éteinte. Il ne me reste ainsi aucun souvenir du bruit que fit l'effondrement de l'hôtel Montana.

Ce silence préfigurait celui que je m'apprêtais à traverser. La mort ne peut être que silence, absence de son, vide obscur. Silencieuse et noire. Mais un noir total, profond, lumineux. J'allais pénétrer dans cette lumineuse obscurité. Dans cette alternance d'espérance et d'angoisse. *Tu m'as fait remonter de l'abîme et revivre quand je descendais à la fosse.* Mais j'allais descendre plus bas que je ne pouvais alors l'imaginer.

II – Un nouveau chemin

«Comme tu devais être heureux lorsqu'ils t'ont enfin sorti de là!» Plusieurs en étaient convaincus. Et quand je leur répondais par la négative, mes interlocuteurs avaient du mal à cacher leur étonnement.

Ce n'est pas que la perspective de retrouver les miens, d'être en vie, ne méritait pas que je me réjouisse. Mais j'ai pris conscience, en même temps que je retrouvais la lumière du soleil, que ma vie serait à jamais différente et que m'incombait, dès cet instant, une sorte de responsabilité, plus lourde, plus présente, plus pressante. Je savais que ces heures de souffrance, de solitude et d'angoisse laisseraient en moi une trace indélébile. Une cicatrice qui ne se refermerait jamais. Une nouvelle vie s'offrait à moi, comme un nouveau chemin, plus exigeant, plus difficile, que j'avais, désormais, à emprunter, différent de celui que j'avais suivi jusqu'alors. Un vertige qui m'empêchait d'être heureux, comme le poids d'une mission imposée que l'on ne peut refuser.

La prière du Christ à Gethsémani dans Saint-Matthieu : « Mon Père, s'il est possible, que cette coupe passe loin de moi ! Cependant, non pas comme je veux, mais comme tu veux. » Et un peu plus loin : « Mon Père, si cette coupe ne peut passer sans que je la boive, que ta volonté soit faite ! »

Comment atteindre ce détachement ? Comment réussir enfin à me séparer de moi ? Cette adhésion libre à Celui qui est la Voie, la Vie et la Vérité, je la souhaitais depuis longtemps. Mais aujourd'hui, après ce 12 janvier, comment m'y soustraire ? La fuite n'est plus possible. Cette fuite qui avait été mon quotidien devait prendre fin. Il le fallait. Il le faut. Trouver enfin la paix après ce séisme si meurtrier. Trouver la paix après tant d'agitations inutiles ! Après tant de temps perdu ! Tant d'occasions manquées !

J'avais survécu, je devais affronter la réalité, faire face, être lucide. Ma vie avait basculé. Ce n'est que quelques jours plus tard que j'ai compris que ma vie serait désormais marquée non pas, comme tout le monde, par deux événements, ma naissance et ma mort, mais bien par trois. Depuis ce 12 janvier 2010, je faisais partie de ce groupe d'hommes et de femmes marqués dans leur chair et leur esprit par la trace d'une autre date fondatrice, à la fois début et fin, achèvement et nouveau départ. La mémoire de cette communauté remontait à la nuit des temps, je n'étais pas seul. Mais cette communauté était marquée par la solitude. Une solitude qui fait de nos proches des étrangers parce qu'ils ne peuvent pas comprendre, parce qu'ils n'ont pas vécu ce que nous avons vécu. On aimerait qu'ils comprennent, qu'ils sachent. On aimerait pouvoir leur expliquer, leur dire cette tristesse, cette angoisse. Mais tout reste bien au fond de nous, prisonniers que nous sommes encore et que nous resterons.

La première chose que j'ai faite, lorsque je me suis retrouvé à l'air libre, ce fut de regarder autour de moi. À travers un silence effrayant, où l'on sentait régner la mort, j'ai vu, au sud, toutes ces petites maisons effondrées, à flanc de montagne, et, à l'ouest, sur la crête, la silhouette détruite du bâtiment de l'Institut de la francophonie pour la gestion dans la Caraïbe. Un beau bâtiment moderne dans lequel les salles de classe n'étaient pas climatisées, mais où un système de fenêtres à battants permettait de faire entrer l'air venant de la mer ou des montagnes, mais aussi la poussière... Un beau bâtiment, comme un squelette démembré.

Je l'avais su instantanément, c'était ce que l'on appelle un tremblement de terre et il était majeur. Mais ce silence!

Ce contraste entre le bleu du ciel, le soleil, cette lumière, et ce drame, la mort qui était là, tout à côté de nous qui étions vivants. Une absence se lisait sur les visages. Ceux qui n'avaient pas été pris sous les décombres avaient, eux aussi, été écrasés. Nous portions la vie que nous avions conservée comme un poids. La mort nous avait atteints, alourdis, et elle le savait.

Le temps était suspendu. Un soir, une nuit, un matin s'étaient succédé, mais Port-au-Prince semblait figé, encore saisi d'avoir eu à vivre ça. De devoir, désormais, vivre avec le souvenir de ce déferlement. Parce qu'il n'y eut, hier soir, ni tremblement de terre ni secousse sismique. Il y eut déferlement. Une vague est venue se briser et nous a emportés.

Mais où était-il, cet hôtel Montana ? Ce grand bâtiment blanc d'une autre époque n'était plus qu'un gros amas gris informe, et pas de visages connus autour de moi. Où étaient-ils passés, tous ces Haïtiens qui travaillaient au Montana et dont, la veille, à notre arrivée, j'avais déjà commencé à reconnaître les visages ? Où étaient mes collègues ? Où étaient les deux Anne ? Où était Paul-Émile ? Un immense sentiment de tristesse m'envahit. J'étais en vie. Je savais que, bientôt, ceux que j'aimais se réjouiraient, mais je pleurais.

J'étais convaincu qu'il ne restait plus que moi. Que mes trois collègues n'avaient pas survécu. S'ils étaient en vie, ils seraient là ! Il était impossible qu'ils soient sortis en vie des décombres après moi. Qu'ils aient à passer plus de temps que moi dans la solitude de ce sarcophage de béton. Qu'ils aient à souffrir plus que moi. Sentiment d'avoir survécu, moi, à cette violence que d'autres n'avaient pas pu traverser. Impossibilité d'envisager que quelqu'un puisse survivre à pire. Égocentrisme de la souffrance, de la peur et de l'angoisse.

Et le visage de Paul-Émile Arsenault qui se penche sur moi. Il n'a rien. A parlé durant la nuit à quelqu'un qui lui a donné de l'eau. A été descendu de son cinquième étage au petit matin.

Je savais, en lui posant la question, qu'il n'avait pas de nouvelles d'Anne Chabot et d'Anne Labelle. Pourtant, je venais de me tromper. Lui était bien en vie ! Pourquoi pas les deux Anne ? Pourquoi ?

Violence, impuissance, souffrance, solitude. C'est la réunion de ces quatre réalités, leur simultanéité, qui a été, est, et sera le plus difficile à supporter, à accepter. Et pourtant, c'est bien cette souffrance qui est la source vive. C'est bien à cette souffrance qu'il me faut étancher ma soif.

Je n'ai pas vécu la pire situation qu'un être humain puisse vivre, loin de là ! Si j'ai souffert, d'autres ont souffert plus que moi. Je suis en vie après 17 heures sous les décombres d'un immeuble de cinq étages. Pourquoi ? D'autres, des milliers d'autres, sont morts. D'autres, des milliers d'autres, garderont sur leur corps les marques de ce 12 janvier 2010. Ce ne sera pas mon cas. Néanmoins, comment aurais-je pu imaginer qu'il serait si difficile d'être encore en vie ? De devoir emprunter ce nouveau chemin ? D'accepter qu'il ait fallu passer par cette porte étroite ?

III – Je choisis le mystère

Cette deuxième mission en Haïti, je ne peux pas dire que je l'envisageais avec beaucoup d'enthousiasme. J'aime l'hiver du Québec. J'aime cette lumière lorsqu'il fait si froid et que le soleil brille. Je l'aime, ce soleil qui illumine mais ne réchauffe pas. J'aime sentir le froid sur mes joues lorsque je dévale une piste de ski. J'aime ce contraste entre l'immense manteau blanc qui recouvre le Québec durant de si longs mois et le plaisir de se blottir chez soi au coin d'un feu quand, dehors, les arbres craquent sous le gel.

L'hiver du Québec me rappelle celui de Serre-Chevalier, mais en un peu plus froid. Mes montagnes des Alpes que j'aimais tant et que j'ai quittées. Ma terre natale que les circonstances de la vie m'ont obligé à laisser derrière moi. Tant qu'à être séparé de ces cimes enneigées et être réduit au Vieux-Port, aussi bien partir loin. Vers les grands espaces, le grand fleuve, l'hiver. Vers celle que j'aimais, vers celle que j'aime.

L'idée de faire face à la chaleur, de couper l'hiver, de quitter mes pentes de ski de Stoneham ne m'enchantait pas. Mais il s'agissait d'aller retrouver un pays que j'avais découvert quelques mois plus tôt et que j'avais aimé immédiatement. Il s'agissait d'aller contribuer, même modestement, à l'aide que le Québec apportait au gouvernement haïtien.

Lors de ma première mission en Haïti, le 26 mai 2009, en sortant de l'avion, ce qui m'avait saisi, c'était la chaleur. Le soleil dans mon dos. J'avais l'impression de tourner le dos à un feu de cheminée. Le chauffeur qui ne dit pas un mot et conduit prudemment. La foule. Les voitures. La plus grosse passe la première. Nous passons les premiers. Les gens, tous bien habillés, surtout les jeunes filles en uniforme. Comment font-ils pour avoir des chemises aussi blanches et vivre dans cette poussière ?

Puis nous montons vers l'hôtel. La foule se fait moins dense et voilà le Montana dans un coin de verdure. Nous surplombons Port-au-Prince. La baie de Port-au-Prince par temps clair est très belle. De grandes montagnes à droite et à gauche, la ville qui s'étale entre les deux, la mer et les bateaux qui attendent pour entrer au port. Une végétation luxuriante et des oiseaux, beaucoup d'oiseaux de toutes sortes. Ces oiseaux que je reverrai le 13 janvier 2010, après avoir été sorti des décombres.

Traverser Port-au-Prince pouvait prendre plus d'une heure. Une heure pour faire quelques kilomètres à travers des ruelles plus étroites que dans certains quartiers de Marseille. Secoués au rythme d'une chaussée défoncée et des coups de volant nécessaires pour éviter d'autres gros 4 x 4, des gens ou bien les *tap-taps* dans lesquels s'entassent une douzaine de personnes. Le mot qui venait à l'esprit était « improbable ». En effet, un tel désordre est inimaginable, en dehors des probabilités. Des gens, beaucoup de gens. La plupart du temps bien habillés. Mais une misère et un désœuvrement difficiles à décrire.

Durant ces trajets en voiture lors de notre première mission, nous ne nous parlions que très peu, pris que nous étions par ce que nous voyions autour de nous. Dès que j'essayais de détendre l'atmosphère, la réalité de la misère qui nous entourait me rattrapait et me serrait la gorge. C'est bien ce même serrement que j'ai ressenti le 12 janvier lors de notre montée vers le Montana. Les mêmes images, la même misère. Le même acharnement à la vie, un peu désolé, un peu détaché. Mais lumineux, brillant, inconscient.

Comprendre ce qu'écrit Dany Laferrière dans *L'énigme du retour* :

> *Couleurs primaires.*
> *Dessins naïfs.*
> *Vibrations enfantines.*
> *Aucun espace vide.*
> *Tout est plein à ras bord.*
> *La première larme fera déborder*
> *ce fleuve de douleur*
> *dans lequel on se noie en riant.*

Pour certains, les problèmes d'Haïti ne sont que des problèmes économiques. Pas de tensions religieuses ou ethniques. Pas de problème territorial avec le pays voisin. Mais une déliquescence de la puissance publique et de l'autorité que doit incarner l'État, qui a entraîné la désagrégation du tissu économique. Selon d'autres encore, c'est l'arrivée d'Aristide qui a sonné le début de la fin pour Haïti. Comment faire la part des choses ? Tenter de comprendre ? Prendre conscience qu'il y a un peu plus de deux cents ans un Haïtien naissait esclave... C'était il y a peu de temps.

Haïti, c'est avant tout un pays de couleurs. Le blanc y est plus blanc qu'ailleurs. Le bleu du ciel y est presque aussi bleu que dans mes Alpes natales. Le vert éternel des arbres y est d'une profondeur sans égale. Mais Haïti, c'est aussi et surtout un peuple, beau, grand, fier, jeune. Un peuple marqué par la souffrance, la pauvreté, mais un peuple déterminé. Un attachement à la vie qui a défié l'Histoire et qui triomphera du 12 janvier 2010.

Pour le pays,
Pour les ancêtres,
Marchons unis,
Marchons unis,
Dans nos rangs, point de traîtres !
Du sol, soyons seuls maîtres.
Marchons unis,
Marchons unis,
Pour le pays,
Pour les ancêtres.

Pour le drapeau,
Pour la patrie,
Mourir est beau !
Mourir est beau !
Notre passé nous crie :
« Ayez l'âme aguerrie. »
Mourir est beau,
Mourir est beau,
Pour le drapeau,
Pour la patrie !

Pour le pays, pour les ancêtres, pour le drapeau, pour la patrie. Un hymne national s'enracine dans le passé glorieux et veut montrer la voie. Il est le sommet, avec le drapeau, de la fierté nationale. Cette fierté était présente à chaque coin de rue dans Port-au-Prince. Que reste-t-il d'autre à un peuple sans présent ?

Mais une fierté qui a quelque chose d'artificiel. Au-delà des mots, au-delà de la représentation du passé, il y a la réalité. La perception d'une absence de sentiment d'appartenance à une collectivité, à une communauté, à une patrie. L'absence de responsabilité collective. La famille, oui. Mais après ? Qui sont ces inconnus que l'on croise le matin dans la rue, avec qui on partage la même misère ? Pourquoi l'immense majorité des Haïtiens, qui n'a rien, s'intéresserait-elle à son prochain ? Individualisme de la pauvreté.

Est-ce que ce déferlement qui va s'abattre sur Port-au-Prince modifiera le cours des choses ? Est-ce que ce drame qui va frapper aux portes de tant d'Haïtiens sera l'occasion d'un nouveau départ ?

Il est 16 h 53, ce mardi-là. Tout commence imperceptiblement. Sans m'en rendre compte, sans le décider, je cesse de faire ce que je fais. Il se passe quelque chose. Mais quoi ? Je n'ai pas encore conscience du présent. Je vis encore dans le passé. Et le passé s'efface. Très vite, ma vision se trouble. Les murs, le sol, les meubles de ma chambre ne sont que mouvements désordonnés. Il faut agir. Garder sur les événements une certaine emprise. Surtout, ne pas rester immobile.

Peu après l'attentat dont il a été victime le 13 mai 1981, le pape Jean-Paul II a dit: «Une main a tiré. Une autre a dévié la balle.» Pourquoi une main m'aurait-elle guidé, moi et pas les autres? Tous ces autres qui allaient disparaître, et moi avec eux, dans ce déferlement de béton et de poussière, mais qui, eux, ne ressortiraient pas vivants. Comment expliquer que je ne sois pas resté là où j'étais? Quel instinct m'a poussé vers la baie vitrée, un peu sur la droite? Est-ce, justement, mon instinct? La main de Dieu? Pourquoi moi? Pourquoi sommes-nous si peu à être sortis en vie de tous ces bâtiments effondrés? Que de questions qui n'auront jamais de réponse et qu'il me faut pourtant poser!

La vie ne peut pas simplement être vécue. Tout a un sens. Il faut que nous trouvions un sens à ce que nous vivons. Nous ne sommes pas simplement de passage. Nous devons être utiles, laisser notre empreinte. Nous ne pouvons pas rester en surface. Il faut descendre, creuser, comprendre, apprendre. Prendre conscience de l'épaisseur de l'existence, de ce que nous pouvons appréhender, saisir. La vie, les événements ne peuvent pas glisser sur nous. Nous devons nous laisser pénétrer par le sens profond de ce que nous vivons pour, à notre tour, laisser au moins une trace.

« Entre l'absurde et le mystère, je choisis le mystère », avait répondu Jean Guitton à François Mitterrand. Ce qui est absurde est contraire à la logique, à la raison. Ça n'a pas de sens. « Rien ne vaut rien. Il ne se passe rien. Et pourtant tout arrive. Mais cela est indifférent », a écrit Nietzsche. Poussière. Néant. Non, il est absurde de choisir l'absurde !

Le mystère, lui, même s'il est inaccessible à la seule raison humaine, peut, pour un croyant, être connu par la révélation divine. Le mystère est là. Il faut vivre avec lui. Le côtoyer intimement. S'imprégner de l'amour de Dieu pour sa création. Mais le mystère nous échappe. Alors, les questions sans réponse refont surface et s'ouvre, à nouveau, un grand vide, une tristesse infinie. Une tristesse qui ne trouve de réponse que dans la libre adhésion à Sa Parole qui, comme l'a écrit Maurice Zundel, « contient toute vérité et respire tout amour ».

Cette libre adhésion au mystère est reflétée par notre caractère. Par la présence de notre esprit, la générosité de notre cœur, l'inné de notre tempérament, la force de notre volonté, mais aussi le carcan de nos habitudes.

Ma vocation, celle que j'ai reçue, celle que j'ai choisie, c'est justement de me forger un caractère fort et droit en renforçant ma volonté et en renonçant à moi-même. Objectifs inatteignables. Histoire d'une vie.

J'avais compris et accepté tout ça un peu plus d'un mois avant ce 12 janvier. Il était temps, à 38 ans, que je prenne conscience que ma vie ne pouvait plus être une fuite ininterrompue. Il était temps de faire face à mes responsabilités. D'assumer mes choix. D'assumer ma vie. D'assumer ma vocation de chrétien. D'accueillir le Verbe.

« Ceux-là qui passent leur temps à désirer, et sont déçus quand ils ont obtenu, ne font que fuir et sont malheureux finalement de ne pas laisser du temps dans leurs rêves aux songes de Dieu, ni de place dans leur sommeil pour accueillir les visites de l'ange », a écrit Olivier Le Gendre dans *Le Charpentier*. Laisser du temps dans mes rêves. De la place dans mon sommeil. Mais pour cela, encore faut-il dormir ! Or, nous ne dormons plus. Le sommeil du juste, tranquille, serein, calme, a fait place à des yeux grands fermés qui cherchent désespérément un sens au néant de nos vies sans repères.

Comment ne pas, dès lors, considérer ce qui m'est arrivé ce 12 janvier comme une chance ? Comme l'accélération d'un bouleversement qui avait déjà pris naissance dans le plus intime de mon âme ? Mais fallait-il vraiment passer par là ? Quand cet événement deviendra-t-il lumière ? Aujourd'hui, tout n'est encore que tristesse et incompréhension. Comment, d'ailleurs, pourrait-il en être autrement alors que cette angoisse ne me quitte pas ? Que je suis encore sous ces tonnes de béton ? Les quelques secondes de l'effondrement, ces heures interminables passées sous les décombres, le désespoir de l'attente sous les tentes de l'hôpital de fortune de l'ONU.

Ces heures, cette angoisse, cette tristesse sont présentes à chaque instant, comme un décor immobile qui marque mon quotidien. Mais un jour, le mystère se dévoilera et deviendra lumière. Un jour, cette douleur deviendra la source vive qui alimentera ma raison de vivre, comme me l'a écrit l'abbé Faucher.

IV – Dieu avec nous

Au paradis terrestre, il n'y avait pas de tremblement de terre ! C'est à cette image que je me suis attaché. Non, Dieu n'a pas voulu ce séisme. Non, le Dieu en lequel je crois n'agit pas comme cela sur sa création. Il n'a pas voulu ces milliers de morts, toutes ces souffrances. Ni celles du 12 janvier 2010 à Port-au-Prince, ni celles qui les ont précédées dans l'histoire de l'humanité, ni toutes celles qui nous attendent encore.

Ces catastrophes naturelles ne sont pas de Son fait. Elles ne sont que les conséquences des lois physiques qui nous gouvernent, et gouvernent notre environnement. À nous de les prévoir, de les surmonter. À nous de construire, par notre intelligence, des bâtiments résistant aux secousses sismiques. À nous de ne pas bâtir des habitations dans des zones inondables ou sur les flancs d'une montagne que l'érosion de fortes pluies pourrait miner. À nous de dompter la nature, de la soumettre, de la comprendre, de la respecter.

Mais, avec Mgr Bernard Housset, évêque de La Rochelle et Saintes en France, on peut tout de même se demander : « Si Dieu était vraiment tout-puissant, ne pourrait-il pas empêcher de telles catastrophes ou, du moins, en atténuer les effets pour les humains ? » Et cette question est d'autant plus aiguë quand on pense au 12 janvier 2010. Des Haïtiens qui, pour l'immense majorité, n'avaient déjà rien. Des hommes, des femmes, des enfants qui vivaient déjà dans une misère que nos yeux d'Occidentaux ne pouvaient concevoir. Incompréhension. Colère. Révolte. Impuissance.

Début de réponse. Dieu n'a pas voulu un monde figé. Il a créé, Il crée encore, un univers complexe qui évolue depuis des milliards d'années. « Dieu, en quelque sorte, nous associe à Sa capacité créative en nous chargeant de conduire, avec Lui, un univers inachevé et imparfait vers son achèvement et sa plénitude », nous dit Mgr Housset. Je le crois.

Chrétien, je suis sûr et certain que Dieu ne punit pas et n'envoie pas les épreuves que nous devons affronter. Nous ne sommes pas, nous ne serons jamais, les victimes d'un Dieu vengeur, jaloux, agressif. Le Dieu de l'Ancien Testament s'est accompli pleinement en Jésus Christ. Déjà, Isaïe faisait dire au Seigneur: «Ne vous souvenez plus d'autrefois, ne songez plus au passé. Voici que je fais un monde nouveau: il germe déjà, ne le voyez-vous pas? Oui, je vais faire passer une route dans le désert, des fleuves dans les lieux arides.»

Si Dieu est tout-puissant, Il l'est par amour pour nous. Le Dieu de la Nouvelle Alliance est, pour moi, tout amour, tout don, toute générosité. C'est un Dieu proche, comme le dit souvent Benoît XVI.

Le Dieu en lequel je crois n'a pas observé Port-au-Prince de haut durant ces heures terribles. Il était avec nous, au milieu de nous. Non seulement Il partageait nos souffrances, mais Il a souffert avec nous.

Pour un catholique qui croit en la présence réelle du Christ dans l'Eucharistie, l'image est forte, et c'est l'abbé Gaston Lapointe qui m'a permis d'en prendre conscience. Toutes ces églises qui se sont effondrées ce 12 janvier 2010 conservaient en leur Sein des hosties consacrées. En quelques secondes, Il s'est retrouvé, Lui aussi, sous les décombres. Il a été écrasé, Lui aussi. Notamment dans cette église du Sacré-Cœur où se trouvait la *Chambre de Jésus*. Une pièce toute simple, attenante à l'église, dans laquelle était exposé en permanence le Saint-Sacrement. Des gens y priaient toute la journée et il avait même fallu en faire une deuxième pour les accueillir tous.

Mais Il n'était pas seulement sous les ruines de ces églises détruites. Il était avec nous tous qui souffrions, nous tous qui mourions. Il souffrait avec nous. Il mourait avec nous.

Cette présence réelle de Dieu à mes côtés, j'en ai été témoin. Je l'ai sentie, touchée. Mystère !

Réconfort aussi. Savoir que nous ne sommes pas seuls. Avoir la conviction profonde, durant de trop courts instants cependant, que je n'étais pas seul. Il était avec moi, ou, plus exactement, j'étais avec Lui, marchant quelques pas sur les traces de Son Calvaire, pouvant toucher du bout des doigts le bois de Sa Croix. Le voir à genoux sous cette Croix, dans les rues de Jérusalem, levant les yeux vers Marie et lui disant : « Vois, Mère, je rends toute chose nouvelle. »

La chute de l'immeuble a pris fin. Quelques fractions de secondes pendant lesquelles il ne se passe rien. La perception que je suis en vie. Que je vis encore. *Seigneur, entre Tes mains je remets mon esprit.* La grâce de m'abandonner à sa volonté. Que faire d'autre? Un grand calme m'envahit. Un grand calme brisé par le premier bruit que j'entends à nouveau. Celui d'un liquide ou d'un gaz qui s'échappe sous pression. Si c'est du gaz, le feu n'est pas loin. Je ne suis pas mort dans l'effondrement, mais je vais mourir dans l'incendie qui ne manquera pas de se déclarer, prisonnier que je suis des décombres. Je prends conscience de mon immobilité. Immobilité de la mort. La mort qui est là depuis quelques secondes autour de moi et qui ne me quittera plus pendant de si longues heures.

Et à travers ce bruit de geyser qui s'estompe peu à peu, une rumeur enfle, grandit, prend forme. D'autres ont bien vécu en même temps que moi ce que je viens de vivre et, comme moi, ne sont pas morts. Pas encore. Nous prenons ensemble conscience peu à peu de la réalité. Conscience que notre corps a été atteint. Que nous venons d'être victimes d'une violence inouïe.

Une plainte informe, des cris qui se font de plus en plus distincts, des pleurs que je reconnais comme étant ceux d'une femme qui ne doit pas être loin de moi. Un homme qui appelle à l'aide. D'autres cris plus lointains. Le sentiment profond, la conviction, d'entendre des milliers de personnes crier ensemble. Mais un cri sourd, presque silencieux, inexorable. Des milliers d'angoisses qui se rejoignent, s'entremêlent, ne font plus qu'une même lamentation qui monte vers ce ciel qui doit être toujours aussi bleu.

La poussière retombe très vite autour de moi. Elle est repoussée par un souffle d'air frais qui vient je ne sais d'où.

C'est grâce à un petit rayon de lumière, loin au bout de mes pieds, que je peux constater la situation dans laquelle je suis.

Le 25 novembre 2009, j'avais vécu une expérience spirituelle qui me revient alors en mémoire. Il faut croire que nos pensées, dans ces circonstances, sont comme des rêves. Elles ne durent qu'une fraction de seconde et prennent consistance dans nos souvenirs.

À la fin de la messe de midi, en l'église Saint-Roch de Québec, m'était apparue clairement une évidence : ma relation avec Dieu s'était incarnée alors dans la verticalité. Comme un rayon qui montait et qui descendait en même temps. Comme un cylindre immense, écrasant. Une masse qui montrait un chemin, mais aussi qui venait de Lui et descendait sur moi. Une masse, cependant, qui ne m'écrasait pas, bien au contraire. Une présence énorme qui m'emplissait. Mon thorax n'était pas assez grand, il n'y avait pas assez de place pour l'air qui y entrait. C'était Lui, cette présence écrasante qui libère. L'amour de Dieu pour moi s'était ainsi matérialisé ce jour-là.

Un mois et demi plus tard, au milieu de ces gravats, je repensais à ce 25 novembre, à cette église, et je pleurais.

Je pleurais parce que j'avais le sentiment d'avoir couru, de m'être précipité au milieu de ce déferlement. De m'être volontairement jeté dans la gueule ouverte de ce tremblement de terre. D'avoir fait ce voyage justement pour vivre ça.

Je pleurais aussi parce que je sentais confusément venir l'angoisse, mais je voyais aussi Sa main se tendre vers moi. Je sentais que ce que j'allais avoir à vivre serait définitif. Peu importe que je survive ou non. J'aurais à Le choisir ou à disparaître. Tout allait se passer dans les prochaines heures. J'aurais à choisir entre le matériel et le spirituel. Entre la mort et la Vie.

Les biens matériels, quand on ne les possède pas, semblent les plus précieux de tous; les biens spirituels, au contraire, tant qu'on ne les goûte pas, paraissent sans réalité. Mais les jouissances matérielles, une fois expérimentées, conduisent peu à peu au dégoût; tandis que les réalités spirituelles, une fois goûtées, se manifestent inépuisables.

SAINT GRÉGOIRE

V – *Jamais las de guetter dans l'ombre...*

Après quelques minutes, j'ai réellement pris conscience de la position dans laquelle je me trouvais et j'ai compris surtout la précarité de ma situation.

Je suis couché sur le côté gauche, à même le carrelage de ma chambre, en position latérale de sécurité. Curieusement, ma tête, mon cou, mon dos sont dans le même axe. Ma tête repose en effet sur des rideaux qui forment comme un petit hamac. Au-dessus de ma joue droite, suspendue dans les airs, une immense poutre en béton. C'est bien elle qui m'écrase, plus bas, la hanche droite et les jambes.

Même si mes jambes me font souffrir, surtout la gauche, cette position n'est pas inconfortable. D'ailleurs, plus tard, je me dirai un instant qu'il est impossible que je meure là, puisque je suis dans la meilleure position pour survivre.

Mais maintenant, que faire? Appeler à l'aide, crier comme les autres, tous les autres? Si le Montana s'est effondré, il ne doit pas être le seul. Et si tout Port-au-Prince est dans le même état, pourquoi y aurait-il des sauveteurs pour nous ? Non, vraiment, crier maintenant est inutile. Et pourtant, je m'entends, moi aussi, appeler à l'aide, siffler le plus fort possible...

Pourquoi des secours seraient-ils envoyés immédiatement au Montana, ce riche hôtel dans lequel ne descendent que des étrangers, alors que les besoins ailleurs doivent être immenses, alors que le chaos doit régner partout ? Et pourtant, je crie, j'appelle à l'aide avec les autres, pensant que, peut-être, il serait possible, si quelqu'un passe tout près, de me sortir de là facilement. Mais non, je prenais conscience peu à peu des tonnes de béton qui me recouvraient. Il y avait un étage au-dessus de moi, un plafond, un plancher, un autre plafond, le toit, une chambre entière identique à la mienne, avec ses meubles. Cette chambre – je l'apprendrai plus tard – était celle de mon collègue Paul-Émile Arsenault.

Voilà, le décor est monté. Je suis en vie, je le comprends, je l'accepte. Mais je ne peux rien faire d'autre qu'attendre. Attendre la mort. Attendre la vie. Guetter dans l'ombre...

Le plus difficile à admettre, c'est cette impuissance, cette dépendance totale. Saint Luc nous apprend dans son Évangile que le Christ à Gethsémani avait été «en proie à une angoisse extrême». Lui aussi savait cette impuissance, cette dépendance totale. Mais la conscience qu'Il en avait était tellement plus grande que la mienne. Néanmoins, je savais inconsciemment que, peu à peu, le choc passé, j'irais vers cette angoisse extrême et cette perspective m'effrayait.

En fait, ce qui m'effrayait n'était pas le présent, mais le futur. Pour le moment, je n'allais pas trop mal. J'étais blotti dans un petit cocon. Mais ce cocon allait devenir un cercueil. J'en avais la conviction.

Dans *Les grandes familles*, Maurice Druon a écrit: «Tout, les civilisations, les sentiments, les arts, les lois et les armées, tout est enfant de la peur et de sa forme suprême, totale, la peur de la mort.»

J'avais été tellement saisi par l'effondrement, convaincu que j'allais mourir une fois la chute de l'immeuble terminée. Tellement étonné ensuite d'être encore en vie. Que maintenant, je commençais vraiment à avoir peur de la mort, et la perspective de cette peur m'effrayait.

Oui, j'ai eu peur de mourir. C'était la première fois. Peur de ne plus revoir les miens. Anne-Marie, Étienne, maman... Ils étaient dans mes pensées à chaque instant.

Mais comment ne pas redire alors le psaume 91 : « Puisqu'il s'attache à moi, je le délivre ; je le défends, car il connaît mon nom. Il m'appelle, et moi, je lui réponds ; je suis avec lui dans son épreuve. »

Comment ne pas penser aussi à ce passage de *Chemin*, de saint Josémaria Escriva : « Hausse-toi devant l'obstacle. – La grâce du Seigneur ne peut pas te manquer : tu franchiras les montagnes. Qu'importe qu'il faille momentanément restreindre ton activité si, ensuite, comme un ressort qui a été comprimé, tu t'élèves incomparablement plus haut que tu ne l'avais jamais rêvé ? »

Je devais m'en remettre à Sa volonté. M'oublier. C'était la seule façon de rester en vie. De m'attacher à la Vie.

Répéter avec Maurice Zundel : « Seigneur, sépare-moi de moi. »

Redire à voix haute la prière de saint Ignace : « Reçois, Seigneur, l'offrande de ma liberté, reçois ma mémoire, mon intelligence et toute ma volonté. Tout ce que j'ai, tout ce que je suis, c'est Toi qui me l'as donné. Je Te le rends, Seigneur, sans réserve pour que Tu en disposes selon Ton bon plaisir. Donne-moi seulement Ton Amour et Ta grâce, et je suis assez riche, et je ne demande plus rien. »

Mais pour ces quelques petits moments de plénitude, que de longues heures d'angoisse, de doute : « Mon Père, pourquoi m'as-tu abandonné ? » Ces heures où la mort triomphe.

Parce qu'elle allait triompher, elle triomphait déjà.

Elle a triomphé silencieusement, dans l'obscurité, discrètement. Elle a fait sentir sa puissance. Sa capacité à nous prendre, nous, les vivants, et à disposer de nous. À nous envelopper dans un voile d'incompréhension. À nous saisir, nous immobiliser.

Beaucoup sont morts sur le coup. En un instant. Sans réussir à comprendre. Saisis. Un peu plus de deux cents, dont je suis, ont été sortis des décombres en vie par les équipes de sauveteurs. Mais combien ont perdu espoir de revoir la lumière ? Combien ont appelé en vain ? Combien ont senti venir le froid éternel ? Combien sont entrés dans ce silence obscur et lumineux ?

Immobiles, bloqués sous des tonnes de béton. Mais en mouvement. Une danse macabre. La mort qui nous saisit, puis nous laisse aller. C'est un manège. Qui gagnera ?

« Il n'y a qu'un problème philosophique vraiment sérieux : c'est le suicide », a écrit Albert Camus. Mais le suicide ici pour échapper à une mort imposée, immédiate, inévitable. Une mort qui est déjà là, que l'on voit, que l'on touche. Ne pas la laisser choisir le moment. La devancer, l'embrasser pour la vaincre et s'enfuir, quitter ce cercueil. En finir. Reprendre la maîtrise de sa destinée. Ne pas se laisser faire. Ne pas la laisser faire.

Orgueil. Manque de confiance. Choisir la mort et tourner le dos à la Vie. J'ai pris conscience très rapidement d'avoir manqué à l'espérance. Mais là-bas, durant cette nuit sans fond, si un bout de bois et un morceau de céramique rouge avaient suffi.

Jamais las de guetter dans l'ombre... Les heures passent. La fin semble inéluctable. Le noir de plus en plus noir. La nuit de plus en plus nuit. L'angoisse de plus en plus vide. J'entre peu à peu, je suis déjà entré dans ce qui n'existe pas. Certitude de ne pouvoir descendre plus bas. Et descendre encore. Si un bout de bois et un morceau de céramique rouge avaient suffi, il en aurait été fini de cette descente. Mais voulais-je vraiment m'arrêter là ? On croit être arrivé au plus profond, et il reste encore tant à descendre.

Il m'est difficile aujourd'hui de concevoir ce néant, cet abîme. L'âme humaine pouvait-elle descendre si bas, là où les rayons du soleil ne sont plus qu'un vague souvenir ? Comprendre ce que disait André Malraux devant le catafalque de Jean Moulin : « Pauvre roi supplicié des ombres, regarde ton peuple d'ombres se lever dans la nuit de juin constellée de tortures. »

Il est difficile aussi d'exprimer la durée, de dire le temps qui a passé. Un soir, une nuit, un matin. Pas d'échappatoire. Le sommeil que l'on voudrait voir venir et qui ne vient pas. Les minutes et les heures qui se succèdent. La solitude dans le noir. Se voir peu à peu disparaître. Aujourd'hui, toutes ces heures se sont ramassées sur elles-mêmes pour ne plus former qu'un petit intervalle. Mais chaque seconde qui s'écoulait était l'éternité.

On descend durant des heures et, à la lueur de l'espérance, on remonte en une fraction de seconde. Contrairement à notre propre conviction, nous ne nous lassons pas d'espérer. Notre attachement à la vie est trop fort. Elle ne peut pas nous quitter. Et pourtant, il y a ce bout de bois et ce morceau de céramique rouge.

> *Ceux qui communient aux souffrances du Christ ont devant les yeux le mystère pascal de la Croix et de la Résurrection, dans lequel le Christ descend, dans une première phase, jusqu'aux extrêmes limites de la faiblesse et de l'impuissance humaines : il meurt cloué sur la Croix. Mais si en même temps dans cette faiblesse s'accomplit son élévation, confirmée par la force de la Résurrection, cela signifie que les faiblesses de toutes les souffrances humaines peuvent être pénétrées de la puissance de Dieu qui s'est manifestée dans la Croix du Christ.*
>
> JEAN-PAUL II
> *Salvifici Doloris*

VI – ... la lueur de l'espérance

Ce n'est pas possible, je ne peux pas rester là-dessous. Je ne reverrai donc plus les visages de ceux que j'aime. Étienne, mon fils, deviendra un homme sans moi. Ce n'est pas possible. Je me suis même demandé bêtement si ce n'était pas un mauvais rêve. Et la réalité s'est imposée. J'avais bien pris l'avion ce matin. J'étais bien arrivé à Port-au-Prince. Bien entré dans cette chambre 409 de l'hôtel Montana.

Mais j'allais m'en sortir. Cette fragile lueur d'espoir était là, ne m'a jamais quitté malgré ce bout de bois et ce morceau de céramique rouge. Même au plus profond de l'angoisse.

Peu à peu, alors que le silence s'est fait autour de moi, alors que la timide lumière qui éclairait mon caveau a doucement disparu, s'est instauré une sorte de rythme, de rituel, de processus qui se répète. Appels à l'aide, espoirs, prières, angoisse. Un moteur à quatre temps. Même mes appels étaient devenus routine. À l'aide ! Help me ! Trois fois répétés. Je siffle. Trois fois aussi. Je frappe autour de moi avec ce bout de bois qui ne me quitte pas. Trois fois encore. Pourquoi trois fois ? Je n'en sais rien.

Attente d'une réponse qui ne vient pas. D'un quelconque bruit. Mais rien. Rien qui me permet de penser qu'on peut m'entendre. Et je recommence mes appels et mes sifflements, et ce morceau de bois qui frappe les gravats. Trois fois. Trois silences qui n'ont que le silence pour réponse. Et l'attente d'un signe qui mettra fin à ce silence. L'espoir qui demeure. Mais ce signe, cette parole, cette réponse à mes appels qui mettra des heures à venir.

Et puis, c'est le temps de la prière. À voix haute. Seul, je Lui parle, je L'appelle Lui aussi. *Il m'appelle, et moi, je lui réponds ; je suis avec lui dans son épreuve*. Profond dénuement. Immense impuissance. *Entre Tes mains, je remets mon esprit. Entre Tes mains, je remets ma vie. Il faut mourir afin de vivre.* Toujours l'espoir de la Vie, même dans la mort qui semble inéluctable. Comment l'espoir qu'Il m'entende pourrait-il être absurde ? Je ne peux pas appeler en vain ! Il m'entend ! Il me sauve ! Il est avec moi ! Il accepte avec moi cette soumission totale. Il porte mon impuissance sur ses épaules.

Être réduit à l'immobilité. Seuls mes bras peuvent bouger. Plus tard, mes jambes, parce qu'il le fallait. Lorsque j'ai senti des picotements dans mes pieds. Lorsque, ensuite, je ne les ai plus sentis. J'ai cherché à bouger le bas de mon corps, à briser cette gangue qui m'enveloppait. Il fallait retirer ces débris pris entre mes jambes et la grosse poutre de béton. Il fallait que la circulation de mon sang se rétablisse. Si par hasard je sors vivant d'ici, il faut que ce soit avec mes jambes. Me voir assis dans un fauteuil roulant. Après tout, pourquoi pas? Au moins, je reverrais les visages d'Anne-Marie et d'Étienne.

Il est difficile d'imaginer tout ce qui peut passer par la tête durant ces heures et la vitesse à laquelle défilent les idées. Au moins, je pense. Je rêve même un peu. À ce que sera la vie sans moi. Penser à Marcel Pagnol: «Ce n'est pas de mourir qui me fait de la peine. C'est de quitter cette vie.» Esquisser dans l'ombre un sourire. Pleurer. Penser à ces deux dates: 1971-2010. Se dire que ce ne fut pas très long, que c'est court une vie.

Je trouvais même une certaine satisfaction, un apaisement, à penser à la vie des miens après moi. D'abord, j'ai additionné les sommes qu'Anne-Marie allait recevoir de nos assurances. Ensuite, je me disais que l'on soulignerait peut-être que ces 38 années avaient laissé une trace... Prétention de celui qui va mourir et qui cherche un dernier plaisir.

Néanmoins, au milieu de la nuit, au milieu de l'angoisse, dans l'ombre de ces tonnes de béton, je me suis dit que j'allais survivre. Cette conviction était comme une petite flamme qui vacille avant de s'éteindre. Un petit rien. Une minuscule lueur dans le néant. Mais elle était là. Jamais las de guetter dans l'ombre la lueur de l'espérance.

Mais il fallait que je boive. J'avais entendu des avions, certainement des gros porteurs, atterrir à l'aéroport que l'on voyait très bien des terrasses du Montana. Les secours allaient arriver avec l'aube qui venait de se lever. On allait me sortir de là, mais en attendant, il fallait que je boive.

Cette canalisation en cuivre au-dessus, un peu sur la gauche, est peut-être une canalisation d'eau. Et mon morceau de céramique rouge qui n'avait pas rempli sa première mission réussira peut-être à la couper. Il faut que je boive. Le souvenir des trois bouteilles de Volvic que j'ai mises dans le réfrigérateur quelques minutes avant l'effondrement aiguise ma soif. Et me voilà en train d'essayer d'entamer le cuivre. En passant mon doigt sur la canalisation, je constate que le morceau de céramique rouge ne remplira pas non plus la deuxième mission à laquelle je le destinais. Attendre, et recommencer à appeler, à écouter, à prier, et cette angoisse qui revient. Cette danse macabre qui se poursuit. Mélange des genres. Succession de sentiments opposés. Espérance au plus profond de la nuit. Angoisse alors que le jour se lève. Quand cela finira-t-il enfin? *Avec le soir viennent les larmes, mais au matin, les cris de joie!*

Port-au-Prince, 1er février 2010[1]

Salut mon cher ami,

Ça me fait plaisir de te saluer, malgré la distance et le temps. Je suis content de te savoir enfin en compagnie de toute ta famille. Dieu sait ce qu'Il fait.

Vraiment, je suis heureux d'avoir pu participer à ton sauvetage, en y apportant ma modeste contribution... Ce fut par moments très difficile et, à plusieurs reprises, j'ai failli tout laisser tomber... Mais Dieu est très grand et Il m'a éclairé, me disant de ne pas t'abandonner, que tu comptais sur moi et que moi aussi j'aimerais qu'on ne m'abandonne pas dans des circonstances similaires. Alors, j'ai persévéré en suivant l'impulsion de mon cœur. Oui, ce fut une rude tâche – j'en conserve d'ailleurs quelques séquelles physiques –, mais ce temps de l'épreuve est maintenant derrière nous. Il me reste, en mon

1. Ce texte a été traduit de l'espagnol par mon amie Pascale Bernier.

âme, une grande satisfaction d'avoir pu te soutenir au moment où tu en avais le plus besoin. Malgré le fait que nous ne nous connaissions pas, je crois que nous sommes bénis de Dieu. Lui t'a donné l'occasion d'un nouveau regard sur la vie, et tu dois en profiter en famille, ce noyau essentiel de notre vie. Tu dois te sentir très privilégié d'avoir pu retrouver les tiens...

Alors voilà, je te dis au revoir, le cœur rempli d'émotion, avec la satisfaction de savoir que tu vas bien...

Bonne chance et porte-toi bien.

Ton grand ami,
Commando Miguel Granja

Miguel m'a sauvé la vie. Si ce n'avait pas été lui, un autre l'aurait fait. Peut-être? Mais c'est lui qui m'a sorti de mon caveau. C'est lui qui m'a rendu à la lumière. C'est lui qui a mis sa vie en danger pour sauver la mienne. C'est lui qui est descendu et m'a remonté à la surface.

Un homme que je ne connaissais pas. Un Casque bleu de l'Équateur qui n'était pas venu en Haïti pour sortir des corps, et quelques vivants, des ruines grises du Montana. C'est un soldat qui m'a sauvé. Un soldat de la paix.

Le jour s'est levé. Je vois à nouveau ce trait de lumière qui éclaire les décombres autour de moi. La poutre de béton, qui était hier soir à 20 centimètres de mon visage, le touche presque maintenant. Toutes ces répliques durant la nuit ont fait que les ruines se sont tassées. Le Montana s'est enfoncé peu à peu sur le sommet de sa colline.

Ces répliques que je sentais arriver avec soulagement, me disant que ce serait peut-être la fin. Mais une réplique n'est qu'une réplique, rarement plus violente que le séisme initial. Et moi qui avais une peur bleue des tremblements de terre ! Certains ont peur des orages, du vent, de la fureur de la mer, des turbulences en avion. Moi, j'avais peur des tremblements de terre. Et pourtant, à 16 h 53, je n'ai pas eu peur, préoccupé que j'étais par l'arrivée de ma mort. Sa cause n'avait pas d'importance. C'est elle qui comptait. Plus tard, durant la nuit, alors que je sentais se réveiller à nouveau la terre, je n'ai pas eu peur non plus. Au contraire, l'idée qu'un autre séisme finirait le travail m'apaisait. *Entre Tes mains, je remets mon esprit. Entre Tes mains, je remets ma vie. Il faut mourir afin de vivre.*

Des voix. Un homme qui appelle. Je crie. Je siffle. Il me semble qu'il cherche quelqu'un. C'est une femme qu'il appelle, qu'il doit être venu chercher. Peut-être celle qui pleurait hier soir ? Une femme qui ne pleure plus depuis longtemps. Mais moi, je suis là et je vis. Il faut qu'ils m'entendent. Une voix qui répond à mes cris en anglais avec un fort accent espagnol. Il faut que j'attende. Ils vont venir, mais il faut que j'attende. Mais j'attends depuis si longtemps! Moi qui suis, de nature, si impatient! Comment veulent-ils que j'arrête de crier, d'appeler, de siffler, de supplier? Je les supplie. Beaucoup devaient, comme moi, supplier. Beaucoup ont, comme moi, appelé avec insistance et humilité. Peu ont été entendus.

Mais il faut que ceux qui sont au-dessus de moi, là sur le toit, ceux qui marchent sur moi, m'assurent que c'est bien de moi qu'ils vont s'occuper. Les autres attendront. Ils n'existent d'ailleurs plus pour moi. Toutes ces voix entendues hier soir se sont tues. Mais moi je suis bien en vie. Moi! Moi! Moi! Plus de larmes pour pleurer en suppliant.

Et on me demande mon nom. Et on m'appelle par mon nom. Nicolas. Ai-je déjà été si soulagé d'entendre quelqu'un m'appeler par mon prénom? Je n'étais plus un inconnu parmi d'autres. J'étais Nicolas, qui avait besoin d'aide.

Soulagé. C'est le mot qui convient. En me reconnaissant par mon nom, on avait adouci ma souffrance, diminué ma peine. On m'avait débarrassé d'une partie de mon fardeau. Quelqu'un d'autre partageait avec moi le poids de ma survie.

Le bruit de gravats qu'on déplace. Un pic qui frappe le béton. Des hommes qui forcent pour déplacer quelque chose. Des minutes qui s'ajoutent aux heures. Je ne sais plus très bien ce qui m'arrive. Je n'ai pas fermé l'œil de la nuit et je me laisse maintenant emporter, bercé par les bruits de ma délivrance.

Ils sont au-dessus. Ils déplacent les gravats. Ils creusent. Et la lumière. Je vois sur ma gauche le sol de ma chambre quelques mètres à côté de moi. Le bord d'un lit. Et le plafond, 20 centimètres plus haut. Entre les deux, écrasé, un ventilateur. Et si j'avais été pris quelques centimètres plus à gauche. J'aurais été écrasé. Ma vie pour quelques centimètres. Pourquoi?

Deux grosses bottes noires qui descendent et écrasent le bas de mes jambes. Oui, c'est bien sur mes jambes, qui me font déjà souffrir, que mon sauveteur marche. L'espace est trop étroit. Il ne peut pas s'accroupir. «J'ai failli tout laisser tomber.» Tous ces efforts pour aboutir à cette impasse. Lui ne peut pas aller plus loin. Moi, je ne peux pas aller rejoindre ce puits de lumière. Que faire? Tout devient flou. Je me laisse aller. Qu'ils fassent ce qu'ils ont à faire; l'important, c'est qu'ils connaissent mon nom.

Le travail reprend, mais cette fois derrière moi, au fond. Le temps s'écoule. Je m'évade. Je suis ailleurs. Loin. Une voix qui m'appelle. Une main qui saisit, dans mon dos, la ceinture de mon pantalon et qui tire. Je crie. Mes jambes restent prises. On saisit mon pied droit maintenant. Et je crie encore. Vraiment, les choses se présentent mal. Et puis, moi qui étais jusqu'alors prisonnier, je me délivre. Doucement, je me tourne vers la gauche et me place sur le ventre, présentant mes deux pieds à mon sauveteur qui les attache à une corde et tire. Cette fois, ce n'est pas en vain.

Je m'éloigne. Je laisse au fond ce bout de bois et ce morceau de céramique rouge. On m'arrache à ce décor auquel je resterai à jamais lié, comme l'enfant au sein de sa mère. Et la lumière, et les oiseaux, et ce silence.

Et la joie des soldats qui s'efface. Pour un qu'ils abreuvent, combien n'auront plus jamais soif?

VII – Souffrir ensemble

Mon ami Jacques Boulanger m'a écrit ce petit mot un jour. Gratuitement.

> *La souffrance nous rapproche de notre humilité, celle qui nous rend tous égaux devant Dieu. Dans la souffrance, nous sommes dépouillés de nos artifices et de nos mensonges. Nous sommes donc en mesure de mieux nous voir comme Dieu nous voit et, en conséquence, d'avoir un dialogue plus honnête et franc avec Lui, qui sait déjà tout de nous, mais qui nous respecte dans notre liberté, nos limites et nos errements, même si cela le peine.*

J'avais souvent dit que j'étais prêt à mourir, mais pas à souffrir physiquement. Ce que j'ai vécu à Port-au-Prince a bien montré que je me trompais. Je n'étais pas prêt, pas disposé, à mourir. J'ai eu peur de la mort. Une peur sans limites. Une peur extrême. En revanche, j'ai accepté la souffrance physique. Je l'ai prise à bras-le-corps. Je ne faisais plus qu'un avec elle. Elle était moi et j'étais ma souffrance. Elle me rappelait que j'étais en vie. Elle était ma vie. Je l'ai acceptée.

Sous les décombres, elle était la bienvenue. Elle me gardait éveillé. Elle faisait contrepoids à l'angoisse. La souffrance physique que je ressentais, ces douleurs dans mes jambes, m'aidaient à faire face. « Sans cesse, nous portons dans notre corps l'agonie de Jésus, afin que la vie de Jésus soit, elle aussi, manifestée dans notre corps. » Ce qu'a écrit saint Paul, je le vivais, je le ressentais, et ce sont ces souffrances qui me soutenaient sur les mers du néant.

Georges Pompidou a écrit, dans le *Nœud gordien* : « Le confort de vie généralisé comporte en lui-même une sorte de désespérance, en tout cas d'insatisfaction. »

Absence de souffrances. Élimination de la souffrance. La souffrance physique ne peut pas être un bien. Il faut la terrasser ou la cacher. Et pourtant, la souffrance – je l'ai vécu et je le vis –, peut être une source d'espérance et de satisfaction.

Je sais que Jean-Paul II a raison quand il écrit : « La souffrance doit servir à la conversion, c'est-à-dire à la reconstruction du bien. »

Convertissez-vous et croyez en l'Évangile. La vraie conversion, c'est choisir le bien. Choisir de Le suivre. Des événements exceptionnels peuvent nous aider à Le trouver. Mais il me semble que le vrai défi de la conversion, c'est d'aller à Sa rencontre dans la vie quotidienne.

Quand j'aurai quitté ce ciel bleu, ce silence et ces oiseaux, probablement qu'il me sera plus facile de discerner, de choisir, de faire acte de volonté. Probablement qu'il fallait que je descende si loin au fond de l'angoisse pour véritablement choisir la lumière. Mais je sais qu'il me faudra encore me relever. Je sais que je tomberai encore souvent. Rien n'est joué. Tout reste à refaire sans cesse. C'est le lot de la vie chrétienne. Mais je peux compter sur Lui et sur l'épaisseur de ma mémoire. Toutes ces strates accumulées. Cette dernière strate, plus lourde, plus épaisse, qui vient de s'ajouter à ma vie.

On nous a sortis des ruines du Montana. On nous a regroupés, nous, les survivants blessés. Maintenant, on nous évacue. Tout cela sera fait dans l'ordre, avec les moyens du bord, mais dans l'ordre et le silence. Impuissance. Dépendance. Se laisser faire. Prier avec une femme dont la fille travaillait à l'hôtel. Un *Notre-Père* qui n'a d'écho que le vol des oiseaux.

C'est en hélicoptère que j'ai quitté le Montana. Pas dans les premiers. D'autres sont bien plus mal en point que moi.

Revivre ces quelques secondes durant lesquelles le gros *Huey* s'arrache du sol en tremblant de toute sa structure. Quitter ces ruines grises, ce silence et ces oiseaux dans ce bruit, ces tremblements et cette poussière qui rappellent ce qui est arrivé hier à 16 h 53. Je descendais. Aujourd'hui, je monte. Je n'entendais rien. Aujourd'hui, je ne vois rien, seulement ces pales qui tournent au-dessus de ma tête. Mais qu'est-ce que je fais là ? Survoler Port-au-Prince et ne rien voir. Ne rien voir de cet anéantissement. Ne rien voir de ces milliers de morts. Ne rien voir de ces quelques vivants hagards fouillant les décombres. Être acteur d'un drame, mais rester caché derrière les rideaux.

Et puis c'est l'atterrissage. Nous avons volé cinq ou six minutes. Peut-être plus, mais le temps ne compte plus. Tout n'est plus qu'absence, incompréhension, abandon. Je devrais me réjouir. Je suis en vie. Je vis. Et pourtant, tout m'est indifférent. « Rien ne vaut rien. Il ne se passe rien. Et pourtant tout arrive. Mais cela est indifférent. » Je ne peux même plus me regarder jouer la pièce. Le recul n'est plus possible. Sentiment d'avoir épuisé toutes mes ressources. Nous sommes arrivés, me dit-on, à la base de l'ONU où je serai soigné. Mais peu m'importe. Comme sous les décombres, avant que Miguel ne me tire par les pieds, je me laisse emporter, bercé par les mouvements autour de moi de ceux qui ont pris la responsabilité de me sauver. Je n'ai plus rien à faire. À eux d'agir. À eux de faire ce qu'il faut.

Durant ces heures sous les ruines, je me suis placé entre les mains de Dieu. Maintenant, je peux aussi m'en remettre aux autres. Des visages qui se penchent. On m'examine. On découpe mes vêtements. Ils savent. Pas moi.

Nous sommes mercredi. C'est le début de l'après-midi. Anne-Marie doit savoir que je suis en vie. Ils doivent se réjouir. Mais je comprends progressivement l'ampleur de la catastrophe en découvrant autour de moi tous ces blessés.

Sous cette grande tente climatisée où je me trouve depuis déjà quelques heures, je fais peu à peu mon entrée. Peu à peu, je me rends compte que je ne suis pas seul lorsque je remonte à la surface. Peu à peu, je vois, j'entends, je sens. Je vois ce sang. J'entends ces pleurs, ces appels, ces cris. Je sens la douleur de tous ces gens, ces inconnus qui sont devenus mes proches, mes amis, ma famille. Ce pays qui est devenu mon pays. Peu à peu, au milieu de cette agitation de guerre, je prends conscience que ces souffrances sont aussi mes souffrances. Que ces cris sont aussi mes cris. Que ces pleurs sont aussi mes pleurs.

La petite fille couchée avec sa mère à côté de moi me regarde. Je vois au fond de ses yeux ses «pourquoi» qui sont aussi mes «pourquoi». Je vois ses larmes qui sont aussi mes larmes. Je vois son impuissance qui est aussi mon impuissance.

Douleur.
Silence.
Absence.
Voilà qui n'a rien à voir
avec le folklore.
Mais de cela
on ne parle jamais
dans les médias internationaux.

Dany Laferrière

Et pourtant, l'œil de la caméra est là, sous cette grande tente climatisée. Tous les médias internationaux sont là, une seule caméra suffit. Ils sont tous là. Mais ils ne sont pas avec nous. Ils ne voient rien. Ils ne sentent rien. Ils n'entendent rien. Ils ne savent rien de cette douleur. De ce silence. De cette absence. Ils se heurtent à la souffrance humaine dont ils ne peuvent rien savoir. Ils ne sont pas des nôtres.

Deux sentiments s'affrontent. Je suis avec les miens. Cette petite fille est ma fille. Cette femme à ma droite est ma sœur. André Gobeil et Marc Perrault, qui sont un peu plus loin, sont mes frères. Nous ne formons qu'un. Nous ne sommes plus qu'un seul corps qui souffre. Les mêmes yeux qui pleurent. Le même cœur qui bat. Mais nous sommes seuls avec nous-mêmes. Solitude de la souffrance et de l'attente. Solitude des « pourquoi ». Solitude, inquiétude, mais plus d'angoisse. Cette cinquantaine de corps que nous sommes forme un rempart contre elle. Elle a déjà fait son œuvre. Elle nous laisse maintenant en paix, mais avec le souvenir de sa présence.

On ne demande même plus. On ne cherche plus à savoir ce que nous allons devenir. D'autres s'en chargent. Miami, Saint-Domingue, La Martinique, Toronto. Qu'importe où nous irons ! Qu'importe le prochain voyage ! Nous sommes déjà arrivés.

Quarante-huit heures au cœur de cette terre qui a tremblé. Deux jours après ces quelques secondes.

On nous installe dans le ventre du gros oiseau gris qui nous emmènera loin d'ici. C'est ce qu'ils pensent. Ils croient nous sauver. Nous rendre aux nôtres. Ils nous sauvent. Ils vont bien nous rendre aux nôtres. Mais nous sommes restés là-bas.

Je suis encore sur la colline du Montana. Au fond de mon caveau, avec, dans les mains, ce bout de bois et ce morceau de céramique rouge.

VIII – Et maintenant?

Mon ambition n'était pas d'écrire pour le plaisir d'écrire. D'autres ont déjà raconté mieux que moi et j'admire trop les écrivains pour imaginer que ma prose puisse avoir un quelconque intérêt littéraire. Mais tout de même, ce besoin de dire, ce désir d'écrire, semblaient répondre à ce souci de partager cette expérience, cette souffrance, parce que, comme l'a écrit France Pastorelli: «Le malheur, quel qu'il soit, c'est toujours de l'étoffe à faire de la vie.»

Mais fallait-il vraiment que je traverse à nouveau tout cela? Que je tisse à nouveau cette étoffe? Fallait-il vraiment que je m'efforce de trouver les mots, en même temps qu'un sens? Est-ce que le récit de cette expérience peut être utile à d'autres? Pourrais-je un jour enfin poser des questions en connaissant leur réponse?

Ce qui est sûr, ce que je sais, c'est qu'il ne s'est pas rien passé. Il s'est passé quelque chose le 12 janvier 2010 à Port-au-Prince et j'en ai été témoin.

J'ai été témoin de cette fureur dévastatrice de la nature. J'ai été témoin du poids de la mort sur les vivants. J'ai été témoin de ces vies à jamais marquées.

Mais j'ai aussi été témoin de la Présence. *Que mon cœur ne se taise pas.*

Cette Présence qu'il me faut retrouver maintenant. Aller au-delà de cet événement exceptionnel, de cette rencontre inattendue avec ce déferlement. *Trouver dans ma vie Ta présence.* Si je L'ai rencontré là-bas, sous des tonnes de béton, au fond du néant, il devrait être encore plus facile de Le rencontrer dans le calme du quotidien. Et pourtant!

Les apparences sont souvent trompeuses. Quelqu'un se lève le matin. S'habille. Parle. Mange. Marche. Bouge. Rit. Se couche le soir. Mais ses journées sont remplies de la poussière de son tombeau. Éclairées simplement par un petit rayon de lumière, loin au bout de ses pieds.

«Cher Nicolas, la cicatrice de l'événement est à jamais en vous, mais un jour, cette douleur deviendra la source vive qui alimentera votre raison de vivre après cet événement.» Mais quand? «Quand arriveras-tu à te réjouir d'être là?» m'a écrit maman. Impuissance de ceux qui vous entourent. Ils ne peuvent pas comprendre. Ils veulent simplement vous voir comme vous étiez avant. Vous retrouver. Mais il s'est passé quelque chose le 12 janvier 2010 à Port-au-Prince et j'en ai été témoin.

Je suis en vie. En pleine possession de mes capacités physiques. Pour les autres, je suis libre. Libre d'exercer ma volonté. Libre d'aller et de venir. J'ai eu de la chance. Je suis un miraculé. Tout cela est maintenant du passé. J'ai survécu. Je peux profiter de la vie. Jouir d'elle.

Mais non. La réalité est bien différente. J'entends encore ces cris. Je sens encore cette poussière. Je vois encore ce néant. Du béton me tombe régulièrement dessus. La terre tremble souvent sous moi. Je suis encore réduit à l'impuissance. Prisonnier de cette poutre de béton. J'appelle à l'aide. J'attends une réponse qui ne vient pas. Je prie, mais je ne sens plus aussi distinctement Sa présence. Je vois cette angoisse qui m'accable. Il aurait été plus simple que je meure là-bas. Que la mort me prenne comme elle en a pris tant d'autres ce jour-là. Mais ce n'est pas ce qui est arrivé.

Mon combat, aujourd'hui, c'est d'arrêter d'attendre. Ne plus fuir. Accepter l'immédiat de mes «pourquoi».

Seigneur, aide-moi à ne plus attendre !

Parce que nous ne faisons qu'attendre. Le présent ne peut être une fin. Il nous faut plus. Il nous faut mieux. Toujours...

Je la sens d'autant plus, cette volonté de fuite, que, naturellement, j'ai hâte de quitter cette angoisse. De laisser derrière moi ces *habits funèbres*. D'entendre les *cris de joie* du matin.

Et pourtant. Pourquoi ne pas accepter que ce quotidien, même encore marqué par la violence, l'impuissance, la souffrance et la solitude, puisse porter du fruit ? Il porte du fruit. Cet immédiat de mes « pourquoi » d'aujourd'hui est aussi important que cette Rencontre d'hier au milieu des ruines du Montana.

Seigneur, aide-moi à ne plus attendre ! Aide-moi à vivre pleinement le moment présent et à y trouver Ta présence !

En fait, cette douleur est, en elle-même, déjà une source vive.

M'y abreuver. Ne plus attendre et rendre grâce pour le moment présent. Réussir maintenant à m'abandonner comme je l'ai fait le 12 janvier 2010 à 16 h 53. Croire en la Promesse.

> *Amen, amen, je vous le dis: vous allez pleurer et vous lamenter, tandis que le monde se réjouira. Vous serez dans la peine, mais votre peine se changera en joie.*
>
> SAINT JEAN 16, 20

Épilogue

Haïti, terre de l'oubli

Enseveli sous les décombres
Prisonnier dans ma tombe
Je crie, je pleure, je prie, je meurs
Croyant arrivée ma dernière heure

Séparé de ceux qu'on aime
Les minutes d'espoir s'égrènent
Sous un amas de pierre et de béton
Je crie plus fort, je pleure à pleins poumons

Mes appels au secours sont sans retour
Mes espoirs deviennent désespoir
Dans ma tête ce sera bientôt le soir
Ma foi en Dieu vient à mon secours

Le silence de ceux qui rampent
Ne fait qu'aggraver mon attente
J'ai mal, j'ai froid, je tremble
Je reprends courage, c'est la solution

Les efforts des secouristes
Endimanchés d'angoisse et de risques
Sont comparables à mon inquiétude
Dans ce dédale de solitude

Pour eux et pour moi, c'est la vie
J'entends des voix, c'est l'espoir
Ma foi m'a sauvé du désespoir
Enfin, à tous mes sauveteurs, MERCI

J'ai peur encore et j'en tremble
De répéter ce qui me semble
La réplique d'Haïti
Après nos dons et nos oublis

ROBERT CARMICHAEL
26 janvier 2010

Ce poème, qui décrit ce que nous ne sommes pas assez nombreux à pouvoir raconter aujourd'hui, parce que trop peu sommes-nous à avoir été sortis en vie des décombres de Port-au-Prince, c'est le grand-oncle d'Anne-Marie, mon épouse, qui l'a écrit et m'a permis de le partager.

Il est impossible, à moins de l'avoir vécu, de savoir, de comprendre, d'imaginer. Et pourtant, Robert Carmichael a trouvé les mots, a saisi l'angoisse, a compris le poids de la solitude.

Vous êtes maintenant dans la tristesse; mais je vous reverrai et votre cœur se réjouira et personne ne pourra vous ravir votre joie.

C'est bien pour conjurer notre angoisse face à la mort que Johannes Brahms a choisi ce verset de saint Jean dans son *Requiem allemand*. La mort, qui a saisi Haïti le 12 janvier 2010. La mort, qui planait encore au-dessus de Port-au-Prince le lendemain. La mort, comme une puissance charnelle, totale. Comme un triomphe sur la vie.

Mais la mort qui est vaincue par le sens que nous pouvons donner à ce drame, à tous nos drames. Vaincue par la lueur de l'espérance. Par la conviction que le mystère triomphe toujours de l'absurde. Par l'assurance que la souffrance et la tristesse peuvent devenir « une source vive ».

Les victimes du 12 janvier ne me quittent pas. Toutes celles et tous ceux qui ont été atteints dans leur chair et leur esprit, les deux Anne, ce pays qu'il faut aujourd'hui reconstruire, sont désormais mon quotidien.

Le séisme de Port-au-Prince a permis au monde entier de se mobiliser, de se montrer généreux. Mais au-delà de notre générosité, il y a les forces de l'Esprit qui peuvent nous associer plus intimement à ce drame. Il y a cette communion que nous pouvons vivre avec Haïti et qui nous associe directement à l'espérance de tout un peuple.

« Qu'est-ce que la vie véritable ? La vie véritable est celle qui tend à nous spiritualiser. » Avec France Pastorelli, et à travers ce drame du 12 janvier 2010, je veux croire au triomphe de l'Esprit. Je veux croire que du chaos peut naître le calme. Que de la peur peut naître la paix. Que des larmes peut naître la joie. Que de la souffrance peut naître l'amour.

Puisque l'Esprit nous fait vivre, laissons-nous conduire par l'Esprit. (SAINT PAUL)

Vertmont-sur-le-Lac, mai 2010

Table

Québec, Canada
2010